Pour mon Amie
Sofia Corte Real

© 2016, *l'école des loisirs*, Paris

Loi 49956 du 16 juillet 1949,
sur les publications destinées à la jeunesse.
Dépôt légal : mars 2016
ISBN 978-2-211-22766-7

Mise en pages : *Architexte*, Bruxelles
Photogravure : *Media Process*, Bruxelles
Imprimé en Italie par *Grafiche AZ*, Vérone

Kitty Crowther

POKA & MINE

Un cadeau
pour Grand-Mère

Pastel
l'école des loisirs

C'est l'été. Mine est tout heureuse
d'avoir trouvé un cadeau pour sa grand-mère.

«Regarde, Poka, ce que j'ai trouvé.
C'est pour Grand-Mère Dorée.»

«Il est très joli, Mine.
Grand-Mère Dorée va beaucoup aimer.»
«Je vais l'emballer et l'envoyer par la poste»,
dit Mine.

«On l'emballera demain.
Maintenant, il faut rentrer et se coucher»,
dit Poka. Puis il siffle.
«C'est Grand-Mère qui va être contente»,
jubile Mine. Et elle siffle.

«Elle sera contente, Grand-Mère Dorée?»
demande Mine.
«Très contente.
Très heureuse que tu penses à elle.»

«Grand-Mère sera la reine des coquillages…»
«Et Mine,
une merveilleuse petite fille qui va faire dodo!»

Mine dort profondément.

Une petite voix la réveille:
«Tu joues aux cartes avec moi?»

Pendant ce temps-là,
au fond de la mer…

«On doit vraiment chercher Bercarte ?»
demande un bernard.
«Oui», répond un autre bernard.

«On ne peut pas venir le chercher demain ou après-demain?» insiste Berni.
«NON!» répond Berro.

«Il veut toujours jouer aux cartes»,
explique Berni.
«J'aime pas les jeux de cartes», dit Brunnar.
«Moi, j'aime pas jouer, je préfère le surf»,
dit Bernardo.
«C'est pas un jeu le surf, c'est un sport»,
explique Bernart.
«Suffit, vous autres ! On va chercher Bercarte,
un point c'est tout !» gronde Berro.

« Je gagne ! » dit Bercarte.

Soudain, la porte s'ouvre
et six bernard-l'hermite entrent.

Ils sont tous là et Mine est effrayée.
«Nous sommes venus chercher Bercarte»,
dit Berro.
«Je ne savais pas qu'il y avait quelqu'un
dedans», s'excuse Mine.

« C'est la vérité vraie. Mine est mon amie, arrêtez de lui faire peur ! » ordonne Bercarte.

Poka a entendu du bruit.
«Tout va bien, Mine ?»
Et Mine rit.
«Oui Poka, c'est le cadeau de Grand-Mère
Dorée, qui n'est plus son cadeau.»

Le thé aux algues est servi.
Les présentations sont faites : Berro, Bernard,
Bernart, Berni, Bernardo, Brunnar, Bercarte,
Poka et Mine.
Bercarte leur a demandé à tous
de jouer aux cartes. Ils ont tous refusé.

«Et ta Grand-Mère Dorée, Mine,
elle aime jouer aux cartes ? »

Ma merveilleuse petite-fille,

C'est le plus beau cadeau que j'aie jamais reçu.
Comment savais-tu que j'aime tant jouer
aux cartes ? Bercarte gagne presque chaque fois,
mais quelques fois, il me laisse gagner.
Il nage tous les jours à l'heure de ma sieste.
Ses frères viennent de temps en temps,
une vraie pagaille. Cela me fait beaucoup rire.

Je t'aime ma grande fille.

Baisers de Bercarte et de Grand-Mère Dorée.